Ne marche pas seul le soir!

Veronika Martenova Charles
Illustrations de David Parkins

Traduction de Guy Bonin
Consultation pour l'édition française : Chantal Soucy

ERPI

POUR LA VERSION FRANÇAISE

Direction éditoriale et charge de projet
Première édition enr.

Révision linguistique
Claire St-Onge

Correction d'épreuves
Isabelle Rolland

Coordination graphique
Sylvie Piotte

Mise en page
Infographie DN

Par souci d'environnement, ce livret est imprimé sur du papier contenant 100 % de fibres recyclées postconsommation, fabriqué au Québec, certifié Éco-Logo, traité avec un procédé sans chlore et fabriqué à partir d'énergie biogaz.

100%
Issu de forêts bien gérées.
www.fsc.org Cert no. SGS-COC-003153
© 1996 Forest Stewardship Council

Cet ouvrage est une adaptation française de *Don't Walk Alone at Night!*, collection *Easy-to-Read Spooky Tales*, texte de Veronika Martinova Charles ©2007, illustrations de David Parkins ©2007, publié par Tundra Books, Toronto (Canada) et par Tundra Books of Northern New York, Plattsburg (USA).
ISBN 978-0-88776-782-1

ISBN 978-2-7613-2702-2
© ÉDITIONS DU RENOUVEAU PÉDAGOGIQUE INC., 2008,
pour l'édition française.

Dépôt légal – Bibliothèque et Archives nationales du Québec, 2008
Dépôt légal – Bibliothèque et Archives Canada, 2008

Imprimé au Canada   1234567890 EM 098
ISBN 978-2-7613-2702-2   13105   ENV14

TABLE DES MATIÈRES

EN RECONDUISANT LÉON

Partie 1

C'est dimanche.
J'ai invité Léon et Marcos
à venir jouer à la maison.
Il fait déjà noir.
Assis sur le perron,
nous attendons la mère de Léon.

— Léon, dit mon père, ta mère est au
téléphone. Sa voiture ne démarre pas.

— Dites-lui de ne pas s'inquiéter,
dit Léon. Je vais rentrer à pied.

— Ne marche pas seul le soir !
lui dit mon père.

— Marcos et moi allons reconduire
Léon, dis-je. Dis oui, papa !

— D'accord, dit mon père.
Mais mettez vos chandails,
car il commence à faire froid.

Nous partons donc.

— Je n'aurais pas eu peur
de marcher seul, dit Léon.

— Mais tu dois traverser un cimetière.
Toutes sortes de choses peuvent arriver
lorsqu'on marche seul le soir.

— Comme voir un fantôme, dit Marcos.

— Les fantômes ne peuvent pas
nous faire de mal, dit Léon.
Ce n'est que de l'air !

— Peut-être, dit Marcos,
mais ils peuvent sucer le sang.

— Les fantômes ne font pas ça,
dis-je. Les vampires, oui.

— Que ferais-tu si tu rencontrais
un fantôme ? me demande Marcos.

— Je lui jouerais un tour, comme
la fille dans une histoire que je connais.

— Raconte-nous cette histoire, dit Léon.

★

EMMA ET LE FANTÔME

(Mon histoire)

Emma était allée dormir
chez sa grand-mère.

— Demain, nous irons visiter
grand-papa, a dit
la grand-mère.

— Mais grand-papa est mort,
a répondu Emma.

— Oui, mais nous pouvons aller
le voir au cimetière. Nous lui
apporterons des fleurs,
a dit la grand-mère.

Le lendemain, elles sont allées
au cimetière.

À l'entrée du cimetière, la grand-mère
a rempli un seau d'eau.

— Nous devons d'abord nettoyer
la tombe, a dit la grand-mère.

— Je vais t'aider, a dit Emma.

Emma a retiré sa bague en or
et l'a déposée sur la pierre tombale.
Elles ont nettoyé la tombe.
Puis, elles y ont déposé un vase de fleurs.

De retour à la maison,
Emma s'est lavé les mains
avant le souper.

— Zut ! a-t-elle crié.
J'ai oublié ma bague au cimetière !
Je dois retourner là-bas et la retrouver.

— Ne marche pas seule le soir !
lui a dit sa grand-mère. Nous irons
au cimetière demain matin.

— Ma bague n'y sera plus, a répondu
Emma. Je dois y aller tout de suite.
Je prends la lampe de poche.

Le soir, le cimetière
semblait différent.
Il était désert
et on voyait des ombres.
Emma est entrée.

Un nuage de brume s'élevait
entre les tombes.
QU'EST-CE QUE C'ÉTAIT ?

Le nuage s'est avancé vers Emma.
Puis il s'est transformé
en un horrible vieillard.
C'ÉTAIT UN FANTÔME !

Emma était terrifiée,
mais elle s'efforçait de sourire.

— Bonsoir, a dit Emma.

— Jeune fille, c'est dangereux ici,
a répondu le vieillard.
Je suis un FANTÔME !

— Oui… moi aussi, a dit Emma.

— Mais *tu n'as pas l'air* d'un fantôme !

— C'est parce que… parce que…
Je suis morte seulement ce matin !
Je suis un tout nouveau fantôme !

Emma mentait. Elle a ajouté :

— Mais *vous*, vous semblez avoir
une grande expérience comme fantôme.
Vous pourriez m'en apprendre beaucoup.

— C'est vrai, a dit le fantôme.
Je peux faire très peur aux gens.

— Dites-moi, de quoi avons-nous peur,
nous les fantômes ?

— De la lumière, a répondu le fantôme.

Emma a allumé sa lampe de poche,
puis elle l'a pointée vers le fantôme.
Surpris par la lumière,
le fantôme a disparu aussitôt.
Emma a couru, a retrouvé sa bague,
puis elle est revenue chez sa grand-mère.

— J'étais inquiète, a dit sa grand-mère.

— J'ai retrouvé ma bague, a répondu
Emma. Mais je sais maintenant
pourquoi je n'aurais pas dû aller
seule au cimetière.

★   ★   ★

— Heureusement qu'Emma avait
une lampe de poche, dit Léon.

— Visiterais-tu un cimetière
le soir ? demande Marcos.

— Peut-être, dis-je. Ce n'est pas
si effrayant. Les gros insectes
sont plus terrifiants.

— Ou les monstres de la nuit, dit
Léon. Ils t'attrapent quand tu es seul,
puis ils te mettent dans un sac.

— Que veux-tu dire ?

— Je vais vous raconter une histoire,
dit Léon.

LE MONSTRE À DEUX TÊTES

(L'histoire de Léon)

Babu et ses deux sœurs étaient partis
ramasser des coquillages.

— Regardez celui-ci ! a dit Babu en
montrant un coquillage à ses sœurs.
On dirait qu'il y a un serpent gravé dessus.
Je vais le conserver pour la chance.

Babu a caché le coquillage
dans un buisson.

— Je le reprendrai lorsque nous
retournerons à la maison, a dit Babu.

Mais ce soir-là, quand Babu
s'est souvenu du coquillage,
ils étaient presque arrivés à la maison.

— Retournons-y, a dit Babu.

— Non, a répondu sa sœur aînée.
Il paraît qu'un monstre rôde
le soir à cet endroit.

— Mais il fait encore jour, a protesté Babu.
Si vous ne m'accompagnez pas, j'irai seul.

— Ne marche pas seul le soir !
l'ont prévenu ses sœurs.

— Je serai de retour très vite, a promis
Babu en s'en allant.

En fait, il avait un peu peur. Alors,
il a chanté pour se donner du courage.

Lorsque Babu est arrivé
près du buisson,
un homme était assis
à côté d'un tambour.
Il tenait le coquillage de Babu.

— Tu as une jolie voix,
lui a dit l'homme. Pourquoi es-tu ici ?

— Ce coquillage est à moi.
Est-ce que je peux le ravoir ?
a demandé Babu.

— Bien sûr ! a répondu l'homme.
Mais d'abord, chante une dernière
chanson ! Et viens plus près de moi,
car j'entends mal.

Soudain, l'homme s'est transformé
en monstre à deux têtes.
Il a attrapé Babu et l'a emprisonné
dans son tambour.

— LAISSEZ-MOI SORTIR ! a crié Babu.

— Non, a dit le monstre.
Tu seras la voix de mon tambour.
Lorsque je jouerai, tu chanteras
et les gens me donneront à manger.

Le monstre a pris son tambour,
puis il est parti.

Dans chaque village, le monstre se changeait en homme. Il jouait du tambour. Pour le récompenser, les gens lui donnaient du poulet et des patates douces.

Un jour, il s'est rendu dans le village
de Babu. Les sœurs de Babu
ont entendu le tambour chantant.

— Écoutez ! C'est la voix de Babu !
ont dit ses sœurs, étonnées.

Elles ont vite averti leurs parents.

Leurs parents ont alors invité
l'homme à souper.

Le monstre a mangé
et il s'est endormi.
Ensuite, ils ont ouvert le tambour.
Ils ont libéré Babu et ils l'ont caché.

Puis, ils ont rempli le tambour
d'araignées et d'abeilles avant
de le refermer.

— Réveillez-vous !
ont dit les parents à l'homme.
Nos voisins désirent entendre
votre merveilleux tambour chantant.

L'homme a quitté la maison
pour aller jouer du tambour.
Silence.
Il a frappé encore le tambour,
mais aucune voix n'en sortait.
Furieux, il a retiré
la peau du tambour.

Les abeilles sont sorties
et elles ont attaqué l'homme.
Pris de panique, il s'est transformé
en monstre à deux têtes.
Ensuite, les araignées l'ont mordu
et le monstre est mort.

Une fois l'aventure terminée,
les parents ont dit à Babu :

— Désormais, lorsque tu sortiras,
reste avec tes sœurs et reviens
à la maison avant la noirceur.

C'est ce que Babu fait maintenant.

— Cette histoire est-elle assez effrayante ? demande Léon.

— Pas vraiment, dis-je.

— Mais tu m'as dit que tu détestais les insectes, réplique Léon.

— Les *gros* insectes, dis-je.

— J'ai une histoire de gros insecte, dit Marcos.

★

LA MITE MONSTRUEUSE

(L'histoire de Marcos)

— Qu'est-ce que c'est ? Des bonbons ?
a demandé Max à sa mère.

Sa mère mettait des petites
boules blanches dans un placard.

— Ce sont des boules de naphtaline.
Elles éloignent les mites qui mangent
nos vêtements, a répondu sa mère.

La mère de Max a sorti un chandail
du placard.

— Regarde ! Ce chandail est plein
de trous. Peux-tu l'apporter à tante Rose
et lui demander de le repriser ?

— D'accord, a dit Max.

Il commençait à faire sombre
quand Max est arrivé chez sa tante.
De grosses mites brunes
rampaient sur la galerie.
Max a remis le chandail à sa tante.

— Il fait noir, a dit tante Rose.
Ne marche pas seul le soir !
Je te ramène à la maison.

— C'est inutile, a répondu Max.
Prête-moi ton vélo
et je te le rapporterai demain.

Sur la route déserte,
à mi-chemin de la maison,
Max a aperçu une silhouette
plus grande que celle d'un homme.
Ses yeux rouges et brillants
fixaient Max.

La silhouette s'est approchée de Max.
Elle volait comme un papillon géant.
C'était une mite monstrueuse ! Elle fonçait
sur Max, qui pédalait de toutes ses forces.

« La créature doit avoir faim »,
s'est dit Max. Il a donc lancé
son chandail dans sa direction.
L'affreuse créature s'est posée
sur la route pour dévorer le chandail.
Max a tourné dans l'allée
qui menait à sa maison.

Il faisait noir sous les arbres.
Le vélo a roulé sur un caillou
et Max est tombé par terre.
Il a levé les yeux en direction des arbres.
La mite monstrueuse avait traversé
les branches et s'approchait de Max…

EN RECONDUISANT LÉON

Partie 2

— Attention ! La mite monstrueuse
pourrait bien être là-haut ! dit Marcos.

De gros arbres surplombent la route.
Nous nous dirigeons vers le cimetière.

— Tu visiterais *vraiment* cet endroit
le soir ? me demande Léon.

— Certainement ! Je n'ai pas peur.
Et toi ?

— J'irai si vous m'accompagnez
tous les deux, dit Léon.

— Allons-y ! lance Marcos.

Nous passons la barrière
et nous marchons entre les tombes.

Puis, nous faisons demi-tour.
Une silhouette sombre se dirige
alors vers nous.

— UN FANTÔME ! crie Léon.

Nous courons.

J'échappe mon chandail.

—Vous ! Arrêtez ! crie une voix.

Une lumière éclaire nos visages.

— C'est à vous ? me demande l'homme
en montrant mon chandail.
Que faites-vous ici ?

— Nous… sommes des FANTÔMES !
dit Léon.

— N'essayez pas de jouer au plus malin
avec moi. Je suis le gardien.
Je ne veux plus vous revoir ici.
Sinon, j'appellerai vos parents !

Nous faisons le reste du chemin
en silence.

— Entrez, dit la mère de Léon.
Il fait froid dehors. Je vais vous
reconduire à la maison en voiture.

— Ne vous inquiétez pas,
j'ai un chandail, dis-je en l'enfilant.

Je m'aperçois alors que mes manches
sont trouées ! Je me tourne
vers la mère de Léon et lui dis :

— Je crois qu'il serait préférable
que vous nous rameniez à la maison.

La mère de Léon est d'accord.

CONCLUSION

À la fin de *La mite monstrueuse*,

l'insecte géant s'approche de Max.

Est-ce la fin de Max ?

Que va-t-il lui arriver ?

Laisse aller ton imagination !

Invente la fin de ce récit.

L'ORIGINE DES HISTOIRES

De nombreuses cultures sont riches

en histoires de fantômes.

Emma et le fantôme se déroule

en Europe centrale où, chaque jour,

les femmes âgées vont au cimetière.

Le monstre à deux têtes est inspiré

d'un conte africain.

La mite monstrueuse s'inspire

d'un fait divers : au milieu

des années 1960, des personnes

ont signalé la présence d'un insecte

géant en Virginie-Occidentale.